L'art du paysage au Québec
(1800-1940)

Landscape Painting in Québec
(1800-1940)

L'art du paysage au Québec
(1800-1940)

Landscape Painting in Québec
(1800-1940)

Ministère des Affaires culturelles
Musée du Québec
1978

Couverture

James Duncan
Côte-des-Neiges, Montréal
Vers 1830
Catalogue no 7

Cover:

James Duncan
Côte-des-Neiges, Montréal
Circa 1830
Catalogue No. 7

ISBN 0-7754-3218-0

©Copyright 1978
Ministère des Affaires culturelles

Conception graphique: Éditions du Pélican

Composition: Caractéra Inc.

Impression: Therien Frères (1960) Limitée

Dépôt légal: troisième trimestre 1978
Bibliothèque nationale du Québec

Version anglaise: Service de traduction,
Ministère des Communications

Traduction: Audrey Pratt

Revision: Mary Plaice

ISBN 0-7754-3218-0

©Copyright 1978
Ministère des Affaires culturelles

Graphic Design: Éditions du Pélican

Typesetting: Caractéra Inc.

Printing: Therien Frères (1960) Limitée

Legal deposit: 3rd quarter 1978
Bibliothèque nationale du Québec

English version: Service de traduction,
Ministère des Communications

Translation: Audrey Pratt

Revision: Mary Plaice

Itinéraire

Mount Saint Vincent University Art Gallery,
Halifax, N.S.
27 octobre — 19 novembre 1978

Memorial University Art Gallery,
St. John's, Nfld.
28 décembre — 28 janvier 1978

Beaverbrook Art Gallery, Fredericton, N.B.
15 février — 15 mars 1979

Musée du Québec, Québec
5 avril — 13 mai 1979

Cette exposition est organisée par le
Musée du Québec.

Itinerary

Mount Saint Vincent University Art Gallery,
Halifax, N.S.
October 27 — November 19, 1978

Memorial University Art Gallery,
St. John's, Nfld.
December 28, 1978 — January 28, 1979

Beaverbrook Art Gallery, Fredericton, N.B.
February 15 — March 15, 1979

Musée du Québec, Québec
April 5 — May 13, 1979

This exhibition has been organized by the
Musée du Québec

Table des matières

Contents

Avant-propos

L'exposition *L'art du paysage au Québec (1800-1940)* rassemble soixante oeuvres significatives de trente-sept artistes connus, Québécois et étrangers qui, au cours de ce siècle et demi, ont vu et interprété le pays avec, pour chacun d'eux, leur sensibilité particulière. La grande diversité du type de regard posé par ces hommes et de leur technique, jointe à la diversité même du paysage québécois, autoriseront le visiteur à se former une idée relativement complète du Québec, dans son hier comme dans son présent, dans ses constantes comme dans son évolution. De Napoléon Bourassa à Suzor-Coté et Jean Paul Lemieux, en passant par les Cockburn et les Krieghoff, il y a l'occasion privilégiée de saisir le sens d'un paysage humanisé d'une façon qui est propre à son peuple. Dans ce tour d'horizon qui nous est offert, il y a une opportunité à saisir: celle de comprendre par la magie des peintures, pastels et aquarelles le sens profond de la terre du Québec, des modes de vie, occupations et préoccupations de ses habitants.

Avant d'être présentée au Québec même, cette exposition sera d'abord montrée au Canada, dans les Maritimes d'abord puis dans les provinces de l'Ouest ensuite. Ainsi donc, et sans nier pour autant son essentielle fonction esthétique, l'art sera appelé à jouer un rôle d'ambassadeur en mettant en contact, par son intermédiaire, des peuples de culture différente. Le Québec, par son art, par celui qui le représente, s'offre à la compréhension d'autrui. Souhaitons que cette mission-là soit efficacement remplie, ne doutant pas par ailleurs que tous et chacunn des visiteurs qui regarderont ces oeuvres y trouveront aussi une nourriture culturelle à portée universelle.

Denis Vaugeois
ministre des Affaires culturelles

Foreword

This exhibition, *Landscape Painting in Québec (1800-1940)*, brings together sixty important works by thirty-seven recognized artists, from both Québec and abroad, who, during this century and a half, saw and interpreted the country with their own particular vision. The wide variety of approaches and techniques used by these artists, together with the diversity of the Québec countryside, will give the viewer a relatively complete picture of Québec past and present, in its timelessness and in its change. Here is an incomparable opportunity to penetrate, with Napoléon Bourassa, Cockburn and Krieghoff, right through to Suzor-Coté and Jean Paul Lemieux, a country which has been gentled in a manner proper to its own people. In this survey we have the chance to grasp, through the magic of oils, pastels and water colours, the profound meaning of the land of Québec, its modes of living, the occupations and preoccupations of its people.

Before being presented in Québec itself, this exhibition will be shown first in the Maritimes and then in the West of Canada. Without in any way detracting from its essential aesthetic function, it can be said that it will play an ambassadorial role by bringing people of different cultures into contact with each other. Through the medium of its art, Québec offers itself to the understanding of others. Let us hope that this mission will be successful, in full confidence that every viewer will find in these works a cultural experience of universal scope.

Denis Vaugeois
ministre des Affaires culturelles

Introduction

La culture, le dynamisme, la sensibilité, tous les aspects complexes qui forment la texture même d'un milieu aux différentes époques de son histoire se reflètent très profondément dans l'oeuvre des artistes qui en furent tantôt les témoins, tantôt les prophètes.

Source d'inspiration privilégiée des peintres, le paysage est particulièrement significatif et sa contemplation, qui délie le coeur et l'esprit, procure une sorte d'apaisement par la seule résurgence de valeurs simples et pourtant éternelles: l'arbre dressé dans le ciel, la rivière, le chemin qui s'enfonce vers je ne sais quel espace mystérieux. Les maisons plantées dans la neige, obsédante, ont plus de poids que des croix...

Les paysagistes du Québec ont décrit, souvent avec force, l'orgueil de nos montagnes, la solitude passionnée de nos forêts, la beauté des villes et des villages de ces terres éloignées. Ce faisant, ils ont parlé du courage des hommes, de leurs misères et de leur grandeur. Dans chacune des oeuvres que nous vous présentons, vous découvrirez l'un ou l'autre accent de ce message que l'art transpose et fixe à jamais.

Laurent Bouchard
directeur du Musée du Québec

Introduction

Culture, vitality, sensitivity, all the complex factors which form the very texture of a living environment in all eras in the history of a country are profoundly reflected in the work of its artists who are at times its witnesses, at others its prophets.

The countryside, a prime source of inspiration for painters, is of particular significance. The act of contemplating it relieves the heart and the mind and brings a sense of tranquillity through the assertion of simple yet enduring values: the trees stretching toward the sky, the rivers, the road that recedes into shrouded distance, the houses rooted in the snow, haunting, more solid than crosses.

The landscapists of Québec have depicted, often with great strength, the sublimity of our mountains, the passionate solitude of our forests, the loveliness of the towns and villages of these remote regions. In doing this they speak of the courage of men, of their misfortunes, of the heights to which they can rise. In every work you will discover some aspect of this message, caught and transfigured by art.

Laurent Bouchard
directeur du Musée du Québec

Remerciements

Cette exposition consacrée aux peintres de paysages du Québec a été organisée à l'intention des provinces maritimes du Canada grâce à la collaboration et à l'enthousiasme de Mrs Mary Sparling, directeur du Mount Saint Vincent University Art Gallery de Halifax. Cette manifestation vise à faire connaître les grandes étapes de l'évolution du paysage au Québec.

Les oeuvres qui font partie de l'exposition ont été choisies dans les collections du Musée du Québec, à l'exception du tableau portant le numéro 18 au catalogue et qui appartient à M. Jean Soucy de Québec. M. Soucy a bien voulu consentir le prêt de cette oeuvre importante pour toute la durée de l'exposition.

Nous remercions également nos collègues, M. Guy Paradis, conservateur du Cabinet des dessins et des estampes et M. Michel Champagne, conservateur de l'art moderne pour la collaboration qu'ils nous ont accordée. Nous remercions particulièrement M. Achille Murphy, recherchiste en art ancien au Musée du Québec, de nous avoir apporté son aide dans la préparation du catalogue et de l'exposition.

Claude Thibault

Acknowledgments

This exhibition of the works of Québec's landscape painters has been organized for the benefit of the Maritime provinces, with the collaboration and enthusiastic support of Mrs. Mary Sparling, Director of the Mount Saint Vincent University Art Gallery in Halifax. Its purpose is to make known the major stages in the evolution of the landscape of Québec.

The works which make up this exhibition were selected from the collections of the Musée du Québec, with the exception of the picture bearing number 18 in the catalogue, which belongs to Mr. Jean Soucy of Québec City. Mr. Soucy has graciously loaned this important work for the duration of the exhibition.

We also wish to thank our colleagues Mr. Guy Paradis, curator of drawings and prints, and Mr. Michel Champagne, curator of modern art, for their generous collaboration. We particularly thank Mr. Achille Murphy, researcher in early art at the Musée du Québec, who helped us with the preparation of the catalogue and the exhibition.

Claude Thibault

L'art du paysage au Québec (1800-1940)

Jusqu'à la fin du Régime français (1760), ou presque, le paysage dans l'art québécois reste un genre mineur. En effet, les peintres de cette époque considèrent la représentation de la nature, qu'on entrevoit par un coin de fenêtre, comme un accessoire au portrait. Dans l'allégorie *La France apportant la foi aux Indiens de la Nouvelle-France* (Québec, Monastère des Ursulines), le Frère Luc (Claude François, 1614-1685) peint l'un des premiers paysages de l'histoire de la peinture québécoise. Mais, sacrifié au sujet principal, ce paysage n'occupe que le fond du tableau.

C'est à compter de la fin du dix-huitième siècle qu'une ardente curiosité de la nature pousse les artistes à considérer le paysage comme un sujet en soi et que cette forme d'art acquiert peu à peu son autonomie. Cet intérêt nouveau chez les artistes apparaît au début du Régime anglais grâce à l'arrivée de dessinateurs topographes qui suivent l'armée anglaise sur le territoire de l'Amérique britannique du Nord. Les premières représentations de la topographie du Québec sont dues à des militaires en garnison à Québec, qui apportent avec eux la tradition et l'amour de l'École anglaise pour le paysage. Plusieurs ont été formés à l'Académie militaire de Woolwich sous la direction de l'un des meilleurs aquarellistes anglais de son temps, Paul Sandby (1725-1809).

Après la prise de Québec, Richard Short dessine douze vues de la ville qui a été durement bombardée. Le capitaine Hervey Smyth, aide de camp du lieutenant général Wolfe, reconstitue minutieusement la *Bataille de Montmorency* (fig. 1). Ces vues sont plus tard gravées et publiées à Londres pour satisfaire le goût et la curiosité des européens. Les oeuvres de Thomas Davies, de George Heriot sont d'abord exécutées à l'aquarelle avec un merveilleux sens du dessin et de la couleur.

Landscape Painting in Québec, 1800-1940

Until almost the end of the French Regime (1760), landscape painting remained a minor art form in Québec. Indeed, painters of this period considered the representation of nature, a mere adjunct to the portrait. In the allegory *France bringing the faith to the Indians of New France* (Québec, Monastère des Ursulines), Frère Luc (Claude François, 1614-1685) painted one of the first landscapes in the history of Québec art. Even so, this landscape forms only a backdrop for the principal subject.

Only toward the end of the 18th century did a lively curiosity about nature lead artists to regard the land as a subject in its own right, and the genre gradually became an independent art form. This new interest among artists appeared at the beginning of the English Regime with the arrival of topographical draftsmen who accompanied the English forces to British North America. The first representation of the topography of Québec came from the military garrison in Québec City, which brought with it the traditions of the English school and its love of the countryside. Several members of the garrison had been trained at the Military Academy in Woolwich by one of the best English water colourists of the time, Paul Sandby (1725-1809).

After the fall of Québec, Richard Short sketched twelve views of the city which had been heavily bombarded. Captain Hervey Smyth, aide-de-camp to Major-General Wolfe, reconstructed the *Battle of Montmorency* (Fig. 1) in great detail. Prints of these views were later published in London to cater to European taste and curiosity. In the case of George Heriot and J.J. (1, 2), the landscape in the foreground opens onto a broad perspective of the city.

13

Fig. 1. *Hervey Smyth. Vue de la chute Montmorency et de l'attaque des retranchements français près de Beauport par le général Wolfe. Lithographie gravée par William Elliott. 1760. Musée du Québec.*

Fig. 1. *Hervey Smyth. View of Montmorency Falls and the attack on the French positions by General Wolfe near Beauport. Lithograph engraved by William Elliott. 1760. Musée du Québec.*

Le paysage situé au premier plan s'ouvre sur une large perspective qui présente la ville (1, 2).

Les délicats lavis de James Patterson Cockburn (5, 6) illustrent des scènes prises sur le vif où la nature occupe la moitié de la composition. Ces aquarelles sont d'une étonnante variété et d'une grande richesse de coloris. Elles rappellent l'art des paysagistes anglais qui, au dix-neuvième siècle, admiraient le réalisme de Gainsborough. Dans les autres scènes, l'artiste s'éloigne dans la campagne environnante à la recherche de sites pittoresques (3, 4, 9, 10, 11).

Le paysage réaliste peint à la manière romantique apparaît vers le milieu du dix-neuvième siècle. Cornélius Krieghoff, formé à l'Académie de Düsseldorf, s'établit à Montréal vers 1840; il quitte cette ville pour s'installer à Québec, dont la nature, les couleurs du paysage et les coutumes de ses habitants l'impressionnent (16, 17).

Joseph Légaré (1795-1855) fut sans aucun doute le plus important paysagiste de cette époque. Le célèbre tableau *Paysage au monument Wolfe* (fig. 2) ainsi que *Les chutes de Saint-Ferréol* (fig. 3) démontrent son goût pour la peinture européenne, en particulier pour les paysages de Salvator Rosa et Andrea Lucatelli, artistes italiens dont il possédait des tableaux dans sa collection. Dans les oeuvres de Joseph Légaré, le paysage n'est plus narratif ou art d'agrément. La nature est recréée d'une manière purement intellectuelle. L'artiste cherche dans les profondeurs de la forêt le mystère de la vie universelle.

Les peintres québécois de l'époque s'adonnent surtout au portrait, dans le style classique à la mode en Europe. Comme Théophile Hamel (1817-1870) dans les *Jeunes Indiennes à Loretteville* (fig. 4), ils incluent le paysage dans le fond du tableau à titre d'élément décoratif. Antoine Plamondon, préoccupé par la forme, le style et l'arrangement décoratif (19), perpétue jusqu'à la fin du dix-neuvième siècle la rigueur du classicisme français.

The delicate washes of James Patterson Cockburn (5, 6) depict scenes taken from life with nature taking up half the composition. These water colours are of an astonishing variety and rich in colour. They bring to mind the work of the English landscape painters who, in the 19th century, admired the realism of Gainsborough. In the other scenes the artist withdraws into the surrounding country in search of picturesque sites. (3, 4, 9, 10, 11).

The realistic landscape painted in the romantic manner appeared toward the middle of the 19th century. Cornelius Krieghoff, trained at the academy in Düsseldorf, settled in Montréal about 1840 and later moved to Québec City. The life of the city, the colours of the landscape, and the customs of the people made a great impression upon him (16, 17).

Joseph Légaré (1795-1855) was undoubtedly the most important landscapist of this period. The famous painting *Landscape with Wolfe Monument* (Fig. 2) as well as *The Saint-Ferréol Falls* (Fig. 3) show the influence of European painting, particularly the landscapes of Salvator Rosa and Andrea Lucatelli, Italian artists some of whose work he possessed. In the works of Joseph Légaré the depiction of the landscape is neither narrative nor subordinate to another theme. Nature is recreated in a purely intellectual manner for its own sake. The artist seeks in the depths of the forest the mystery of life.

The majority of Québec painters of the time devoted themselves in particular to portraiture in the classical style then fashionable in Europe. They relegated the landscape to the background of the picture as a purely decorative feature, as did Théophile Hamel (1817-1870) in *Young Indian Girls in Loretteville* (Fig. 4). Antoine Plamondon, who was much concerned with form, style and decorative arrangement (19), perpetuated the rigidity of the French classical style until the end of the 19th century.

15

Fig. 2. *Joseph Légaré. Paysage au monument Wolfe. Huile sur toile. Vers 1840. Musée du Québec.*

Fig. 2. *Joseph Légaré. Landscape with Wolfe Monument. Oil on canvas. c. 1840. Musée du Québec.*

16

Fig. 3. *Joseph Légaré. Les chutes de Saint-Ferréol. Huile sur toile. Vers 1844. Musée du Québec.*

Fig. 3. *Joseph Légaré. The Saint-Ferréol Falls. Oil on canvas. c. 1844. Musée du Québec.*

Fig. 4. *Théophile Hamel. Jeunes Indiennes à Loretteville. Huile sur toile. 1865. Musée du Québec.*

Fig. 4. *Théophile Hamel. Young Indian Girls at Loretteville. Oil on canvas. 1865. Musée du Québec.*

18

Durant les années 1870, les artistes s'opposent au romantisme au profit d'un réalisme plus sobre. L'oeuvre de ces paysagistes reproduit la nature avec une grande précision et recherche les éléments qui mettent en valeur la grandeur de la scène et créent une ambiance calme. Cet art rappelle la technique des peintres américains de l'École de la Rivière Hudson. Cette vision réaliste triomphe dans les oeuvres de Robert Duncanson (20), J. Henry Sandham (22) et Allan Edson (fig. 5, 23). Dans les aquarelles de William N. Cresswell (21), les petits pêcheurs au bas de la chute ajoutent à la grandeur de la représentation.

Dès la fin du dix-neuvième siècle jusque vers 1910, on constate un renouveau dans le réalisme, ayant sa source dans l'amour de la nature transposé dans le terroir qui symbolise la douceur de la vie quotidienne. Horatio Walker, inspiré de Jean-François Millet, célèbre représentant de l'École de Barbizon, s'installe à l'île d'Orléans pour peindre la nature, les paysans et les animaux (30, 31) dans le but de révéler la vraie lumière, la vraie couleur des paysages.

Marc-Aurèle de Foy Suzor-Coté et Maurice Cullen, formés à Paris, utilisent les procédés des impressionnistes. En juxtaposant des petites taches de couleurs, ils tentent de reproduire dans les paysages les effets d'atmosphère (35, 36, 37, 38, 39). Ces recherches plastiques visent à transposer le plus possible la nature et exaltent les scènes pittoresques. Les oeuvres de Maurice Cullen et de Clarence Gagnon (33, 34) veulent aussi reproduire les jeux de lumière éblouissants des paysages de neige.

L'art de James-Wilson Morrice (1865-1924) rappelle le mouvement fauviste à Paris et les théories de l'art pour l'art. La peinture de paysages dépourvue du sentiment national, recherche la pureté des couleurs et la netteté des formes. John Lyman sera un ardent défenseur de ces théories modernes (45, 46) qui inspireront la génération des années quarante.

During the 1870s, artists turned from romanticism to a more sombre realism. These landscape painters reproduced nature with greater precision, seeking elements which would enhance the grandeur of the scene and create a tranquil atmosphere. This style is reminiscent of the technique of the American Hudson River School. This realistic technique dominates the works of Robert Duncanson (20), J. Henry Sandham (22) and Allan Edson (Fig. 5, 23). In the water colours of William N. Cresswell (21), the tiny figures of fishermen at the bottom of the falls add to the majesty of the scene.

From the end of the 19th century until about 1910 a redevelopment of realism can be observed, finding its source in the soil and its husbandry which in turn became symbols of the serenity of daily life. Horatio Walker, who was much influenced by Jean-François Millet, celebrated representative of the Barbizon School, settled on the Île d'Orléans where he painted nature, the peasants and the animals (30, 31); he sought to portray the true light and colour of the countryside.

Marc-Aurèle de Foy Suzor-Coté and Maurice Cullen, who were trained in Paris, used the techniques of the impressionists. They attempted to reproduce atmospheric effects in their landscapes by juxtaposing splashes of colour (35, 36, 37, 38, 39). These coloristic devices were attempts to transpose the various aspects of nature and to heighten the impact of the scene portrayed. Maurice Cullen and Clarence Gagnon (33, 34) also tried to reproduce the dazzling play of light on snow.

The work of James Wilson Morrice (1865-1924) suggests the Fauvist movement in Paris and the theory of art for art's sake. Landscape painting devoid of all nationalist content seeks to communicate the purity of colour and the clarity of form. John Lyman, who inspired the artists of the 1940s, was an ardent disciple of these modern theories (45, 46).

Fig. 5. *Allan Edson. Automne sur la rivière Yamaska, rang Sutton. Huile sur toile. 1872. Musée du Québec.*

Fig. 5. *Allan Edson. Autumn on the Yamaska River, Sutton Range. Oil on canvas. 1872. Musée du Québec.*

Ces recherches plastiques aboutissent entre 1913 et 1930 à la formation du Groupe des Sept dont les tenants s'emploient à illustrer les particularités de la nature par de grandes masses expressives. Parmi les plus célèbres représentants, mentionnons Arthur Lismer (40), A.Y. Jackson (43, 44) et Edwin Holgate (41, 42).

Ce courant expressionniste très populaire se retrouve aussi dans les oeuvres de Henri Masson (47), Adrien Hébert (49), Rodolphe Duguay (52, 53), Robert W. Pilot (54), Jean Paul Lemieux (55), Marc-Aurèle Fortin (56, 57, 58, 59) et Goodridge Roberts (60). Tout en s'inspirant d'une certaine tradition, ces artistes démontrent leur goût pour les théories modernes de la forme et de la couleur.

Claude Thibault
conservateur de l'art ancien

These experiments in form and colour presaged between 1913 and 1930, the appearance of the Group of Seven, whose members used large expressive, masses to reveal specific aspects of nature. Three members of this celebrated group were Arthur Lismer (40), A.Y. Jackson (43, 44) and Edwin Holgate (41, 42).

This popular expressionist trend is to be found also in the works of Henri Masson (47), Adrien Hébert (49), Rodolphe Duguay (52, 53), Robert W. Pilot (54), Jean Paul Lemieux (55), Marc-Aurèle Fortin (56, 57, 58, 59) and Goodridge Roberts (60). Finding their inspiration in a certain tradition, these artists demonstrate their taste for modern theories of form and colour.

Claude Thibault
conservateur de l'art ancien du Québec

Catalogue

George Heriot
1766-1844

1. QUÉBEC VU DES HAUTEURS DE
POINTE DE LÉVY

Aquatinte. 1805.
H. 0,350; L. 0,499.
Inscription au centre: *View of the City of
Quebec/taken from the Rocks of Point Levi./
London, Published June 4.*th *1805, (for the
Proprietor at Quebec,) by E. Walker, n.º7,
Cornhill.* En bas à gauche: *Geo. Heriot,
D. Post Master General for British America,
pinx*! En bas à droite: *J.C. Stadler sculpt*!

Québec, Musée du Québec (A-54.151-e).

VIEW OF THE CITY OF QUÉBEC, TAKEN
FROM THE ROCKS OF POINTE DE LÉVY

Aquatint. 1805.
H. 0,350; L. 0,499.
Inscription center: *View of the City of Quebec/
taken from the Rocks of Point Levi./London,
Published June 4.*th *1805, (for the Proprietor
at Quebec,) by E. Walker, n.º7, Cornhill.* Lower
left: *Geo. Heriot, D. Post Master General for
British America, pinx*! Lower right: *J.C.
Stadler sculp*!

Québec, Musée du Québec (A-54.151-e).

VIEW OF THE CITY OF QUEBEC,

Taken from the Rocks of Point Levi.

London Published June 1st 1805, for the Proprietor at Quebec, by T. Walker, No 7, Cornhill.

25

J.J.

2. VUE DE MONTRÉAL

Aquarelle. 1807.
H. 0,574; L. 0,764.
Signé et daté en bas au centre: *J.J. Montreal/1807.*

Québec, Musée du Québec (A-69.447-d).

VIEW OF MONTRÉAL

Watercolour. 1807.
H. 0,574; L. 0,764.
Signed and dated lower center: *J.J. Montreal/1807.*

Québec, Musée du Québec (A-69.447-d).

27

Anonyme

3. QUÉBEC

    Aquarelle. 1824.
    H. 0,114; L. 0,252.
    Inscription au verso: *Quebec/1824.*

    Québec, Musée du Québec (A-69.361-d).

QUÉBEC

Watercolour. 1824.
H. 0,114; L. 0,252.
Inscription on verso: *Quebec/1824.*

Québec, Musée du Québec (A-69.361-d).

Anonyme

4. BEAUMONT

    Aquarelle. 1824.
    H. 0,123; L. 0,220.
    Inscription au verso: *Beaumont. Quebec/1824.*

    Québec, Musée du Québec (A-69.359-d).

BEAUMONT

Watercolour. 1824.
H. 0,123; L. 0,220.
Inscription on verso: *Beaumont. Quebec/1824.*

Québec, Musée du Québec (A-69.359-d).

31

James Patterson Cockburn
1779-1847

5. LE SAINT-LAURENT VU DE
   POINTE À PUISEAUX

   Lavis brun. 1830.
   H. 0,160; L. 0,250.
   Inscription au verso: *Looking up the S*^{t} *Lawrence/*
   from Point à Piseau oc^t *5*th*/1830. J.C.*

   Québec, Musée du Québec (A-69.54-d).

LOOKING UP THE SAINT-LAURENT
FROM THE POINTE À PUISEAUX

Brown wash. 1830.
H. 0,160; L. 0,250.
Inscription on verso: *Looking up the S*^{t} *Lawrence/*
from Point à Piseau oc^t *5*th*/1830. J.C.*

Québec, Musée du Québec (A-69.54-d).

32

James Patterson Cockburn
1779–1847

6. QUÉBEC VU DU PONT DORCHESTER

Lavis brun. Vers 1830.
H. 0,152; L. 0,239.
Inscription au verso: *Quebec from above
Dorchester Bridge/J. Cockburn.*

Québec, Musée du Québec (A-53.62-d).

QUÉBEC FROM ABOVE DORCHESTER BRIDGE

Brown wash. c. 1830.
H. 0,152; L. 0,239
Inscription on verso: *Quebec from above
Dorchester Bridge/J. Cockburn.*

Québec, Musée du Québec (A-53.62-d).

James Duncan
1806-1881

7. CÔTE-DES-NEIGES, MONTRÉAL

Aquarelle. Vers 1830.
H. 0,175; L. 0,250.
Inscription au verso: *Cote de neige/Montreal.*

Québec, Musée du Québec (A-56.343-d).

CÔTE-DES-NEIGES, MONTRÉAL

Watercolour. c. 1830.
H. 0,175; L. 0,250.
Inscription on verso: *Cote de neige/Montreal.*
James Duncan

Québec, Musée du Québec (A-56.343-d).

Joseph-Francis Bouchette
1800-1881

8. LES FORGES SUR LA RIVIÈRE
SAINT-MAURICE

Aquarelle. Vers 1830-1832.
H. 0,146; L. 0,265.
Non signé.

Québec, Musée du Québec (A-59.345-d).

THE FORGES, RIVER SAINT-MAURICE

Water colour. c. 1830-1832.
H. 0,146; L. 0,265.
Unsigned.

Québec, Musée du Québec (A-59.345-d).

William Henry Bartlett
1809-1854

9. LES MARCHES NATURELLES

Lavis sépia. 1838.
H. 0,125; L. 0,182.
Inscription au verso: «Les Marches Naturelles».
Non signé.

Québec, Musée du Québec (A-77.13-d).

LES MARCHES NATURELLES

Sepia wash. 1838.
H. 0,125; L. 0,182.
Inscription on verso: ''Les Marches Naturelles''.
Unsigned.

Québec, Musée du Québec (A-77.13-d).

41

George Russell Dartnell
1798-1878

10. FERME ABANDONNÉE À
GROSSE ÎLE EN AVAL DE QUÉBEC

Aquarelle. 1838.
H. 0,228; L. 0,319.
Inscription sur un cartel: *Deserted Farm & Farm House at Gros Isle on the St Lawrence below Quebec. Sep. 1838. GRD.*

Québec, Musée du Québec (A-68.155-d).

DESERTED FARM AND FARM HOUSE
AT GROSSE ÎLE ON THE SAINT-LAURENT
BELOW QUÉBEC

Watercolour. 1838.
H. 0,228; L. 0,319.
Inscription on a label: *Deserted Farm & Farm House at Gros Isle on the St Lawrence below Quebec. Sep. 1838. GRD.*

Québec, Musée du Québec (A-68.155-d).

George Russell Dartnell
1798-1878

11. LA ROUTE DE SAINTE-ANNE ENTRE
MONTMORENCY ET CHÂTEAU-RICHER

Aquarelle. 1838.
H. 0,234; L. 0,350.
Inscription sur un cartel: *On the road to S.ᵗ Ann's between Montmorency (Quebec) & Chateau Richer. G.R.D. 1 Oct. 1838 — River S.ᵗ Lawrence on the right.*

Québec, Musée du Québec (A-67.232-d).

ON THE ROAD TO SAINTE-ANNE BETWEEN
MONTMORENCY AND CHÂTEAU-RICHER

Watercolour. 1838.
H. 0,234; L. 0,350.
Inscription on a label: *On the road to S.ᵗ Ann's between Montmorency (Quebec) & Chateau Richer. G.R.D. 1 Oct. 1838 — River S.ᵗ Lawrence on the right.*

Québec, Musée du Québec (A-67.232-d).

45

Anonyme

12. L'ÎLE D'ORLÉANS ET UNE
PARTIE DE POINTE DE LÉVY

Aquarelle. Non daté.
H. 0,299; L. 0,450.
Non signé.

Québec, Musée du Québec (78.380).

L'ÎLE D'ORLÉANS AND PART
OF POINTE DE LÉVY

Watercolour. Undated.
H. 0,299; L. 0,450.
Unsigned.

Québec, Musée du Quebec (78.380).

Augustus Hamilton
-1838/1854-

13. LA FERME DES PRÊTRES, MONTRÉAL

Mine de plomb. 1848.
H. 0,175; L. 0,261.
Inscription en bas au centre: *Priest's Farm, Montreal 1848.*
Non signé.

Québec, Musée du Québec (A-59.420-d).

PRIEST'S FARM, MONTRÉAL

Pencil sketch. 1848.
H. 0,175; L. 0,261.
Inscription lower center: *Priest's Farm, Montreal 1848.*
Unsigned.

Québec, Musée du Québec (A-59.420-d).

Benjamin Beaufoy
-1879

14. VUE DE QUÉBEC

Lavis brun. Vers 1850.
H. 0,358; L. 0,520.
Non signé.

Québec, Musée du Québec (78.376).

VIEW OF QUÉBEC

Brown wash. c. 1850.
H. 0,358; L. 0,520.
Unsigned.

Québec, Musée du Québec (78.376).

51

Francis A. Fane

15. LE FLEUVE SAINT-LAURENT VU
DE LA CITADELLE DE QUÉBEC

Aquarelle. 1853.
H. 0,354; L. 0,515.
Inscription en bas au centre: *The S! Lawrence
from Citadel of Quebec. 1853.*
Non signé.

Québec, Musée du Québec (A-77.11-d).

THE SAINT-LAURENT FROM
CITADEL OF QUÉBEC

Watercolour. 1853.
H. 0,354; L. 0,515.
Inscription lower center: *The S! Lawrence
from Citadel of Quebec. 1853.*
Unsigned.

Québec, Musée du Québec (A-77.11-d).

The St Lawrence, from Citadel Quebec. 1855

53

Cornélius Krieghoff
1815-1872

16. SCÈNE D'HIVER

Huile sur toile. 1847.
H. 0,464; L. 0,591.
Signé et daté en bas à droite: *C. Krieghoff, 1847.*

Québec, Musée du Québec (34.262-P).

WINTER LANDSCAPE

Oil on canvas. 1847.
H. 0,464; L. 0,591.
Signed and dated lower right: *C. Krieghoff, 1847.*

Québec, Musée du Québec (34.262-P).

Cornélius Krieghoff
1815-1872

17. CAMPEMENT INDIEN À LA
RIVIÈRE SAINTE-ANNE

Huile sur toile marouflée sur bois. 1854.
H. 0,309; L. 0,468
Signé en bas à gauche: *C. Krieghoff.*

Québec, Musée du Québec (G-59.596-P).
Don de la succession de l'honorable Maurice
Duplessis, 1959.

INDIAN CAMP, SAINTE-ANNE RIVER

Oil on canvas mounted on wood. 1854.
H. 0,309; L. 0,468.
Signed lower left: *C. Krieghoff.*

Québec, Musée du Québec (G-59.596-P).
Gift of the Estate of Honorable Maurice
Duplessis, 1959.

William St. Maur Bingham

18. LA BARRIÈRE OUVERTE

Huile sur toile. 1858.
H. 0,975; L. 1,14.
Signé et daté en bas à droite: *BINGHAM/
PIX!/QUEBEC/1858.*

Québec, M. Jean Soucy

THE SWINGING GATE

Oil on canvas. 1858.
H. 0,975; L. 1,14.
Signed and dated lower right: *BINGHAM/
PIX!/QUEBEC/1858.*

Québec, Mr. Jean Soucy

Antoine Plamondon
1804-1895

19. SCÈNE DE CHASSE

Mine de plomb. 1863.
H. 0,387; L. 0,450.
Signé et daté en bas à gauche: *A.P/1863*.

Québec, Musée du Québec (A-68.263-d).

HUNTING SCENE

Pencil sketch. 1863.
H. 0,387; L. 0,450.
Signed and dated lower left: *A.P/1863*.

Québec, Musée du Québec (A-68.263-d).

Robert S. Duncanson
1817/1822-1872

20. LE LAC SAINT-CHARLES, PRÈS DE QUÉBEC

Huile sur toile. 1864.
H. 0,408; L. 0,715.
Signé et daté en bas à gauche: *1864-R.S. Duncanson.*

Québec, Musée du Québec (G-68.289-P).
Don de M. W.M. Connor, Hull, 1968.

LAKE SAINT-CHARLES, NEAR QUÉBEC

Oil on canvas. 1864.
H. 0,408; L. 0,715.
Signed and dated in lower left: *1864-R.S. Duncanson.*

Québec, Musée du Québec (G-68.289-P).
Gift of Mr. W.M. Connor, Hull, 1968.

William N. Cresswell
1822-1888

21. CHUTE ET PÊCHEURS

Aquarelle. 1872.
H. 0,442; L. 0,292.
Signé et daté en bas à droite: *1872/W N Cresswell.*

Québec, Musée du Québec (A-68.204-d).

WATERFALL AND ANGLERS

Watercolour. 1872.
H. 0,442; L. 0,292.
Signed and dated lower right: *1872/W N Cresswell.*

Québec, Musée du Québec (A-68.204-d).

J. Henry Sandham
1842-1910

22. LE VIEUX FORT DE CHAMBLY

Huile sur toile. 1876.
H. 0,613; L. 0,977.
Signé et daté en bas à droite: *H. Sandham/1876.*

Québec, Musée du Québec (A-40.40-P).

OLD FORT OF CHAMBLY

Oil on canvas. 1876.
H. 0,613; L. 0,977.
Signed and dated lower right: *H. Sandham/ 1876.*

Quebec, Musée du Québec (A-40.40-P).

Allan A. Edson
1846-1888

23. LABOURS DANS LA RÉGION
DU MONT ORFORD

Huile sur toile. Vers 1884-1888.
H. 0,453; L. 0,811.
Signé et daté en bas à droite: *ALLAN EDSON.*

Québec, Musée du Québec (A-62.74-P).

PLOUGHING AT MONT ORFORD

Oil on canvas. c. 1884-1888.
H. 0,453; L. 0,811.
Signed and dated lower right: *ALLAN EDSON.*

Québec, Musée du Québec (A-62.74-P).

69

Charles J. Way
1835-1919

24. CAP-À-L'AIGLE

Huile sur toile. Non daté.
H. 0,394; L. 0,525.
Signé en bas à gauche: ¢. *Way/Cap à l'Aigle*.

Québec, Musée du Québec (78.51).

CAP-À-L'AIGLE

Oil on canvas. Undated.
H. 0,394; L. 0,525.
Signed lower left: ¢. *Way/Cap à l'Aigle*.

Québec, Musée du Québec (78.51).

71

Napoléon Bourassa
1827-1916

25. PAYSAGE À MONTEBELLO

Huile sur toile. Vers 1870.
H. 0,209; L. 0,534.
Non signé.

Québec, Musée du Québec.
Don de la succession Napoléon Bourassa, 1942.

LANDSCAPE, MONTEBELLO

Oil on canvas. c. 1870.
H. 0,21; L. 0,53.
Unsigned.

Québec, Musée du Québec.
Gift of the Estate of Napoléon Bourassa, 1942.

Ludger Larose
1868-1915

26. SAINT-FAUSTIN

Huile sur toile. 1899.
H. 0,451; L. 0,81.
Non signé.

Québec, Musée du Québec (A-49.87-P).

SAINT-FAUSTIN

Oil on canvas. 1899.
H. 0,451; L. 0,81.
Unsigned.

Québec, Musée du Québec (A-49.87-P).

Charles Huot
1855-1930

27. LES CHÛTES ET LE VIEUX MOULIN
À LA JEUNE-LORETTE

Craie brune et pastel. 1897.
H. 0,422; L. 0,535.
Signé et daté en bas à gauche: *Chs. Huot/1897*.

Québec, Musée du Québec (34.209-d).

FALLS AND OLD MILL, JEUNE-LORETTE

Brown chalk and pastel. 1897.
H. 0,422; L. 0,535.
Signed and dated lower left: *Chs. Huot/1897*.

Québec, Musée du Québec (34.209-d).

Charles Huot
1855-1930

28. LES MARCHES NATURELLES
À MONTMORENCY

Aquarelle. Non daté.
H. 0,325; L. 0,473.
Signé en bas à gauche: *Chs. Huot.*

Québec, Musée du Québec (A-57.24-d).

LES MARCHES NATURELLES,
MONTMORENCY

Watercolour. Undated.
H. 0,325; L. 0,473.
Signed lower left: *Chs. Huot.*

Québec, Musée du Québec (A-57.24-d).

Horatio Walker
1858-1938

29. LA CANARDIÈRE

Aquarelle. 1885.
H. 0,330; L. 0,491.
Signé et daté en bas à gauche: *Horatio Walker-*
La Canardière 1885.

Québec, Musée du Québec (34.585-d).

LA CANARDIÈRE

Watercolour. 1885.
H. 0,330; L. 0,491.
Signed and dated lower left: *Horatio Walker-*
La Canardière 1885.

Québec, Musée du Québec (34.585-d).

Horatio Walker
1858-1938

30. L'ARC-EN-CIEL

Aquarelle. 1893.
H. 0,417; L. 0,538.
Signé et daté en bas à droite: *Horatio Walker/*
Ste Pétronille 1893.

Québec, Musée du Québec (34.540-d).

THE RAINBOW

Watercolour. 1893.
H. 0,417; L. 0,538.
Signed and dated lower left: *Horatio Walker/*
Ste Pétronille 1893.

Québec, Musée du Québec (34.540-d).

Horatio Walker
1858-1938

31. LA TRAITE DU MATIN

Huile sur toile. 1910.
H. 0,509; L. 0,41.
Signé et daté en bas à gauche: *Horatio Walker-1910*.

Québec, Musée du Québec (34.533-P).

MORNING MILKING

Oil on canvas. 1910.
H. 0,509; L. 0,41.
Signed and dated lower left: *Horatio Walker-1910*.

Québec, Musée du Québec (34.533-P).

Ozias Leduc
1864-1955

32. LA MAISON DES CHOQUETTE À BELOEIL

Huile sur toile. 1901.
H. 0,61; L. 0,915.
Signé et daté en bas à gauche: *O. LEDUC 1901.*

Québec, Musée du Québec (78.93).

THE CHOQUETTE HOUSE AT BELOEIL

Oil on canvas. 1901.
H. 0,61; L. 0,915.
Signed and dated lower left: *O. LEDUC 1901.*

Québec, Musée du Québec (78.93).

Clarence A. Gagnon
1881-1942

33. L'HIVER DANS LES LAURENTIDES

Huile sur toile. Non daté.
H. 0,615; L. 0,82.
Signé en bas à gauche: *Clarence A Gagnon.*

Québec, Musée du Québec (34.577-P).

WINTER IN THE LAURENTIDES

Oil on canvas. Undated.
H. 0,615; L. 0,82.
Signed lower left: *Clarence A Gagnon.*

Québec, Musée du Québec (34.577-P).

Clarence A. Gagnon
1881-1942

34. PRÈS DE BAIE-SAINT-PAUL

Huile sur toile. Non daté.
H. 0,541; L. 0,732.
Signé en bas à gauche: *Clarence A. Gagnon.*

Québec, Musée du Québec (34.147-P).

NEAR BAIE-SAINT-PAUL

Oil on canvas. Undated.
H. 0,541; L. 0,732.
Signed lower left: *Clarence A. Gagnon.*

Québec, Musée du Québec (34.147-P).

Marc-Aurèle de Foy Suzor-Coté
1869-1937

35. SCÈNE D'AUTOMNE

Huile sur toile. 1911.
H. 0,62; L. 0,873.
Signé et daté en bas à gauche: *A. Suzor-Coté/ 1911.*

Québec, Musée du Québec (34.16-P).

AUTUMN LANDSCAPE

Oil on canvas. 1911.
H. 0,62; L. 0,873.
Signed and dated lower left: *A. Suzor-Coté/ 1911.*

Québec, Musée du Québec (34.16-P).

Marc-Aurèle de Foy Suzor-Coté
1869-1937

36. IDYLLE

Pastel. Non daté.
H. 0,504; L. 0,324.
Signé en bas à droite: *A. Suzor-Coté.*

Québec, Musée du Québec (34.35-d).

IDYLL

Pastel. Undated.
H. 0,504; L. 0,324.
Signed lower right: *A. Suzor-Coté.*

Québec, Musée du Québec (34.35-d).

Marc-Aurèle de Foy Suzor-Coté
1869-1937

37. L'ÎLE ENCHANTÉE

Pastel. Non daté.
H. 0,364; L. 0,286.
Signé en bas à droite: *A. Suzor-Coté*.

Québec, Musée du Québec (34.25-d).

THE ENCHANTED ISLAND

Pastel. Undated.
H. 0,364; L. 0,286.
Signed lower right: *A. Suzor-Coté*.

Québec, Musée du Québec (34.25-d).

97

Marc-Aurèle de Foy Suzor-Coté
1869-1937

38. SCÈNE DE NEIGE

Huile sur toile. Vers 1925-1930.
H. 0,894. L. 1,165.
Signé en bas à gauche: *A. Suzor-Coté.*

Québec, Musée du Québec (A-52.65-P).

SNOW LANDSCAPE

Oil on canvas. c. 1925-1930.
H. 0,894. L. 1,165.
Signed lower left: *A. Suzor-Coté.*

Québec, Musée du Québec (A-52.65-P).

Maurice Cullen
1866-1934

39. PRÈS DES ÉBOULEMENTS

Pastel. 1928.
H. 0,403; L. 0,508.
Signé en bas à droite: *M Cullen.*

Québec, Musée du Québec (A-40.78-d).

NEAR LES ÉBOULEMENTS

Pastel. 1928.
H. 0,403; L. 0,508.
Signed lower right: *M Cullen.*

Québec, Musée du Québec (A-40.78-d).

Arthur Lismer
1885-1969

40. SAINT-HILARION

Huile sur toile. 1928.
H. 0,818; L. 1,023.
Signé en bas à gauche: *A LISMER.*

Québec, Musée du Québec (A-45.29-P).

SAINT-HILARION

Oil on canvas. 1928.
H. 0,818; L. 1,023.
Signed lower left: *A LISMER.*

Québec, Musée du Québec (A-45.29-P).

Edwin Holgate
1892-1977

41. CHAMP DE MARGUERITES

Huile sur bois. Vers 1936.
H. 0,42; L. 0,497.
Signé en bas à gauche: *E HOLGATE*.

Québec, Musée du Québec (A-44.86-P).

DAISY FIELD, GASPÉ COAST

Oil on wood. c. 1936.
H. 0,42; L. 0,497.
Signed lower left: *E HOLGATE*.

Québec, Musée du Québec (A-44.86-P).

Edwin Holgate
1892-1977

42. PAYSAGE DANS LES LAURENTIDES

Huile sur bois. 1941.
H. 0,763; L. 0,838.
Signé et daté en bas à gauche: *E HOLGATE/41.*

Québec, Musée du Québec (78.39).

LANDSCAPE IN THE LAURENTIANS

Oil on wood. 1941.
H. 0,763; L. 0,838.
Signed and dated lower left: *E HOLGATE/41.*

Québec, Musée du Québec (78.39).

Alexander Y. Jackson
1882-1974

43. LAC DU NORD

Huile sur toile. Vers 1923.
H. 0,646; L. 0,821.
Signé en bas à droite: *A.Y. JACKSON.*

Québec, Musée du Québec (A-36.37-P).

A NORTHERN LAKE

Oil on canvas. c. 1923.
H. 0,646; L. 0,821.
Signed lower right: *A.Y. JACKSON.*

Québec, Musée du Québec (A-36.37-P).

Alexander Y. Jackson
1882-1974

44. LES COLLINES DE SAINT-TITE-DES-CAPS

Huile sur toile. 1937.
H. 0,634; L. 0,812.
Signé et daté en bas à gauche:
A.Y. JACKSON/37.

Québec, Musée du Québec (A-45.23-P).

HILLS, SAINT-TITE-DES-CAPS

Oil on canvas. 1937.
H. 0,634; L. 0,812.
Signed and dated lower left: *A.Y. JACKSON/37.*

Québec, Musée du Québec (A-45.23-P).

John Lyman
1886-1967

45. DALESVILLE

Huile sur toile collée sur carton. 1912.
H. 0,327; L. 0,41.
Signé en bas à gauche: *Lyman*.

Québec, Musée du Québec (G-70.500-P).
Don de Madame John Lyman, 1970.

DALESVILLE

Oil on canvas mounted on cardboard. 1912.
H. 0,327; L. 0,41.
Signed lower left: *Lyman*.

Québec, Musée du Québec (G-70.500-P).
Gift of Mrs. John Lyman, 1970.

113

John Lyman
1886-1967

46. CHAMP D'AVOINE DANS LES LAURENTIDES

Huile sur bois. 1942.
H. 0,378; L. 0,46.
Signé en bas à gauche: *Lyman*.

Québec, Musée du Québec (G-70.531-P).
Don de Madame John Lyman, 1970.

OAT FIELD IN THE LAURENTIANS

Oil on wood. 1942.
H. 0,378; L. 0,46.
Signed lower left: *Lyman*.

Québec, Musée du Québec (G-70.531-P).
Gift of Mrs. John Lyman, 1970.

Henri Masson
1907

47. PAYSAGE D'ÉTÉ À WAKEFIELD

Huile sur toile. Non daté.
H. 0,56; L. 0,665.
Signé en bas à gauche: *Henri Masson.*

Québec, Musée du Québec (A-45.40-P).

SUMMER LANDSCAPE AT WAKEFIELD

Oil on canvas. Undated.
H. 0,56; L. 0,665.
Signed lower left: *Henri Masson.*

Québec, Musée du Québec (A-45.40-P).

Adrien Hébert
1890-1967

48. PERCÉ

Fusain. 1927.
H. 0,706; L. 0,911.
Signé en bas à droite: *Adrien Hébert.*

Québec, Musée du Québec (A-39.41-d).

PERCÉ

Charcoal. 1927.
H. 0,706; L. 0,911.
Signed lower right: *Adrien Hébert.*

Québec, Musée du Québec (A-39.41-d).

Adrien Hébert
1890-1967

49. LE CHÂTEAU DE RAMEZAY, MONTRÉAL

Huile sur toile. 1930.
H. 0,69; L. 0,59.
Signé en bas à droite: *Adrien Hébert.*

Québec, Musée du Québec (A-37.24-P).

CHÂTEAU DE RAMEZAY, MONTRÉAL

Oil on canvas. 1930.
H. 0,69; L. 0,59.
Signed lower right: *Adrien Hébert.*

Québec, Musée du Québec (A-37.24-P).

120

Herbert Raine
1875-1951

50. BEAUPRÉ

Mine de plomb. Non daté.
H. 0,280; L. 0,188.
Inscription en bas à gauche: *Beaupré. P.Q.*
Signé en bas à droite: *HR.*

Québec, Musée du Québec (G-50.3-d 27).
Don de l'artiste, 1950.

BEAUPRÉ

Pencil sketch. Undated.
H. 0,280; L. 0,188.
Inscription lower left: *Beaupré. P.Q.*
Signed lower right: *HR.*

Québec, Musée du Québec (G-50.3-d 27).
Gift of the artist, 1950.

Herbert Raine
1875-1951

51. SUR LE CHEMIN DE BEAUPRÉ À
SAINT-JOACHIM

Mine de plomb. Non daté.
H. 0,196; L. 0,282.
Inscription en bas à gauche: *Road to Beaupré
from St. Joachim, P.Q.*
Signé en bas à droite: *Herbert Raine.*

Québec, Musée du Québec (G-50.3-d 2).
Don de l'artiste, 1950.

ROAD TO BEAUPRÉ FROM SAINT-JOACHIM

Pencil sketch. Undated.
H. 0,196; L. 0,282.
Inscription lower left: *Road to Beaupré from
St. Joachim. P.Q.*
Signed lower right: *Herbert Raine.*

Québec, Musée du Québec (G-50.3-d 2).
Gift of the artist, 1950.

Rodolphe Duguay
1891-1973

52. O FORTUNATOS

Gravure sur bois en noir et ocre. Vers 1935.
H. 0,192; L. 0,215.
Signé en bas à gauche: *R.D.*
Lettre: *O fortunatos . . . R. Duguay.*

Québec, Musée du Québec (36.26-e).

O FORTUNATOS

Woodcut black and ocre. c. 1935.
H. 0,192; L. 0,215.
Signed lower right: *R.D.*
Inscription lower left: *O fortunatos . . . R. Duguay.*

Québec, Musée du Québec (36.26-e).

127

Rodolphe Duguay
1891-1973

53. L'ANNONCE DU PRINTEMPS

Gravure sur bois en noir et bleu. Vers 1935.
H. 0,233; L. 0,248.
Signé en bas à gauche: *R. D*
Lettre: *34/100 L'Annonce du printemps*
R. Duguay.

Québec, Musée du Québec (36.11-e).

HARBINGERS OF SPRING

Woodcut black and blue. c. 1935.
H. 0,233; L. 0,248.
Signed lower left: *R. D*
Inscription: *34/100 L'Annonce du printemps*
R. Duguay.

Québec, Musée du Québec (36.11-e).

Robert W. Pilot
1898-1967

54. LABOUR D'AUTOMNE À SAINTE-AGNÈS

Huile sur toile. 1936.
H. 0,86; L. 1,18.
Signé et daté en bas à droite: *R PILOT. 36.*

Québec, Musée du Québec (A-34.503-P).

OCTOBER PLOUGHING, SAINTE-AGNÈS

Oil on canvas. 1936.
H. 0,86; L. 1,18.
Signed and dated lower right: *R PILOT. 36.*

Québec, Musée du Québec (A-34.503-P).

130

131

Jean Paul Lemieux
1904

55. PAYSAGE DES CANTONS DE L'EST

Huile sur masonite. 1936.
H. 0,56; L. 0,758.
Signé et daté en bas à droite:
JEAN PAUL LEMIEUX'36.

Québec, Musée du Québec (A-38.26-P).

LANDSCAPE IN THE EASTERN TOWNSHIPS

Oil on masonite. 1936.
H. 0,56; L. 0,758.
Signed and dated lower right:
JEAN PAUL LEMIEUX'36.

Québec, Musée du Québec (A-38.26-P).

Marc-Aurèle Fortin
1888-1970

56. PAYSAGE À HOCHELAGA

Huile sur carton. 1929.
H. 0,502; L. 0,68.
Signé en bas à droite: *M.A. Fortin.*

Québec, Musée du Québec (A-37.23-P).

HOCHELAGA LANDSCAPE

Oil on cardboard. 1929.
H. 0,502; L. 0,68.
Signed lower right: *M.A. Fortin.*

Québec, Musée du Québec (A-37.23-P).

Marc-Aurèle Fortin
1888-1970

57. OMBRE D'ÉTÉ

Huile sur masonite. Vers 1935.
H. 1,22; L. 0,992.
Signé en bas à droite: *M.A. Fortin.*

Québec, Musée du Québec (A-56.318-P).

SUMMER SHADE

Oil on masonite. Vers 1935.
H. 1,22; L. 0,992.
Signed lower right: *M.A. Fortin.*

Québec, Musée du Québec (A-56.318-P).

Marc-Aurèle Fortin
1888-1970

58. SAINTE-FAMILLE, ÎLE D'ORLÉANS

Aquarelle et craie noire. 1941.
H. 0,567; L. 0,777.
Signé en bas à gauche: *M.A. Fortin.*

Québec, Musée du Québec (A-42.17-d).

SAINTE-FAMILLE, ÎLE D'ORLÉANS

Watercolour and black chalk.
H. 0,567; L. 0,777.
Signed lower left: *M.A. Fortin.*

Québec, Musée du Québec (A-42.17-d).

Marc-Aurèle Fortin
1888-1970

59. PAYSAGE PRÈS DE BAIE-SAINT-PAUL

Pastel. 1946.
H. 0,617; L. 0,920.
Signé en bas à gauche: *Marc-A. Fortin.*

Québec, Musée du Québec (A-46.121-d).

LANDSCAPE NEAR BAIE-SAINT-PAUL

Pastel. 1946.
H. 0,617; L. 0,920.
Signed lower left: *Marc-A. Fortin.*

Québec, Musée du Québec (A-46.121-d).

Goodridge Roberts
1904-1974

60. PAYSAGE

Aquarelle. 1945.
H. 0,481; L. 0,735.
Signé en bas à droite: *G. Roberts/July 1945.*

Québec, Musée du Québec (A-60.732-d).

LANDSCAPE

Watercolour. 1945.
H. 0,481; L. 0,735.
Signed lower right: *G. Roberts/July 1945.*

Québec, Musée du Québec (A-60.732-d).

INDEX DES ARTISTES
INDEX OF ARTISTS

Imprimé au Canada